KT-510-388

Irina Korschunow
Wuschelbär

Bilder von Reinhard Michl

Verlag Friedrich Oetinger · Hamburg

Der braune Wuschelbär wohnt schon lange bei
Benjamin im Kinderzimmer. Morgens steht er mit ihm
zusammen auf, und abends geht er mit ihm zusammen
ins Bett.

Er hat eine rote und eine grüne Hose, genau wie
Benjamin. Er hat auch den gleichen bunten Becher
und ein Schlafkissen mit vielen Sternen.

Hundert, sagt Benjamin. Oder tausend.

Aber der Wuschelbär mag nicht zählen.

Der Tag war lang, jetzt ist er müde. Er liegt auf seinem
Sternenkissen und sagt: »Gute Nacht, Benjamin.«

»Gute Nacht, Wuschelbär«, sagt Benjamin.

»Ich hab dich lieb«, sagt der Wuschelbär.

»Ich dich auch«, sagt Benjamin.

Sie schlafen miteinander ein. Und der Wuschelbär hat
einen schönen Traum. Am nächsten Morgen klopft
der Regen an die Fensterscheiben.

»Aufstehen, Wuschelbär«, sagt Benjamin. »Wir haben
viel zu tun.«

Sie ziehen ihre Hosen an, sie trinken Kakao aus den
bunten Bechern und essen Honigbrot. Sie bauen einen
Hubschrauber und fliegen nach Afrika, um einen
Löwen zu fangen. Sie müssen auch einen Käfig für den
Löwen bauen und Futter für ihn holen.

Hinterher liegen sie auf dem Teppich und denken sich
Geschichten aus, Menschengeschichten,
Bärengeschichten, bis der Regen aufhört und die
Sonne scheint.

Da laufen sie zum Bach vor dem Haus und lassen ihre
Papierschiffchen schwimmen. Das Wasser ist hell
und klar. Es springt über die Steine und nimmt die
Schiffe mit.
»Wo schwimmen sie hin?« fragt der Wuschelbär.
»In die weite Welt«, sagt Benjamin.
»Wo ist die weite Welt?« will der Wuschelbär wissen.
»Über die Wiese und hinter dem Wald«, sagt
Benjamin. »Ganz weit weg. Nicht bei uns.«
»Ich will immer bei dir bleiben«, sagt der Wuschelbär.
»Wenn ich in die Schule komme, kann ich dich nicht
mitnehmen«, sagt Benjamin. »Aber wenn ich groß
bin, bauen wir ein Schiff und fahren zusammen in die
weite Welt.«
Er geht ins Haus, um seinen Ball zu holen.
Der Wuschelbär bleibt am Bach sitzen. Er sieht dem
Wasser zu und denkt sich eine neue Geschichte aus.
Sie heißt: Benjamin und der Wuschelbär in der
weiten Welt.

Auf einmal kommt etwas angeschwommen.
Ein Schiff, denkt der Wuschelbär.
Aber es ist ein weißes Ding mit Augen und Ohren. Ein
kleiner weißer Bär.
»Hilfe!« ruft er. »Hilf mir doch.«
Der Wuschelbär blickt sich um. Er findet einen Stock,
legt sich auf den Bauch und hält den Stock ins Wasser.
Der weiße Bär greift danach. Er läßt sich ans Ufer
ziehen und kriecht die Böschung hinauf. Da liegt er
und schnappt nach Luft.

»Was ist denn mit dir passiert?« fragt der Wuschelbär.
»Das Wasser hat mich mitgenommen«, keucht der
weiße Bär. »Ohne dich wäre ich ertrunken.«
Sein Fell ist naß und zerzaust. Er zittert vor Kälte.
Der Wuschelbär möchte ihm helfen. »Ich bin auch mal
ins Wasser gefallen«, sagt er. »Aber Benjamin hat
mich herausgeholt und abgetrocknet, und dann hat er
mir heißen Kakao gegeben. Wo ist denn das Kind, zu
dem du gehörst?«
Der weiße Bär sieht ihn traurig an. »Das Kind hat
mich weggeworfen.«
»Ach«, sagt der Wuschelbär erschrocken. »Gibt es so
was?« Und dann sagt er: »Vielleicht kannst du bei uns
bleiben. Warte, ich hole Benjamin.«

»So ein netter Bär«, sagt Benjamin. »Hoffentlich
bekommt er keinen Schnupfen.«
Er wäscht und trocknet ihn ab, er bürstet und
streichelt ihn.
Der Wuschelbär steht daneben und wartet.
»Ich bin auch ein bißchen naß geworden«, sagt er.
»Vielleicht kriege ich auch Schnupfen.«

Aber Benjamin streichelt ihn nicht. Er hat keine Zeit.
Er muß sich um den weißen Bären kümmern.
»Frierst du noch, weißer Bär?« fragt er.
Der weiße Bär hört auf zu zittern und lacht Benjamin
an.
»Lieber weißer Bär«, sagt Benjamin. »Schön, daß du
gekommen bist. Freust du dich auch, Wuschelbär?«
Doch der Wuschelbär freut sich überhaupt nicht.
Benjamin soll keinen anderen lieben Bären haben.
»Lieber weißer Bär«, sagt Benjamin schon wieder und
gießt Kakao in den bunten Becher.
»Das ist mein Becher!« ruft der Wuschelbär.
»Warum soll er nicht aus deinem Becher trinken?«
fragt Benjamin und holt die rote Hose aus dem
Schrank.
»Das ist meine Hose!« ruft der Wuschelbär.
»Du hast jetzt einen Bärenbruder«, sagt Benjamin.
»Du mußt ihm eine Hose abgeben.«
Er zieht dem weißen Bären die Hose an und legt ihn
ins Bett. »Nicht auf mein Sternenkissen!« ruft der
Wuschelbär.
»Er soll sich doch nur ein bißchen ausruhen«, sagt
Benjamin. »Und wir beide können einen Hafen für
unsere Schiffe bauen.«
Doch der Wuschelbär mag keinen Hafen bauen. Er
sitzt am Bach, sieht zu, wie das Wasser über die
Steine springt und hat schlechte Laune.

Abends liegt der Wuschelbär neben Benjamin auf dem Sternen-
kissen, und an Benjamins anderer Seite liegt der weiße Bär.
»Er schläft schon«, sagt Benjamin. »Wenn er keinen
Schnupfen hat, können wir morgen alle zusammen spielen.«
Der Wuschelbär antwortet nicht gleich. Dann sagt er:
»Zu zweit kann man viel besser spielen.«
»Stimmt nicht«, sagt Benjamin. »Mensch ärgere dich nicht
macht zu dritt mehr Spaß. Und freu dich, daß du jetzt einen

Bärenbruder hast. Dann bist du nicht so allein, wenn
ich zur Schule gehe.«

»Weiße Bären mogeln beim Spielen«, sagt der Wuschelbär.

»Glaub ich nicht«, sagt Benjamin.

»Sie mogeln und schwindeln und petzen«, sagt der
Wuschelbär. »Ich will keinen weißen Bärenbruder haben.«

»Du bist ein ganz dummer Bär«, sagt Benjamin.

»Aber ich habe dich trotzdem lieb.«

Er will ihm einen Kuß geben, doch der Wuschelbär wendet
den Kopf ab. In dieser Nacht hat er keinen schönen Traum.

Am Morgen geht es dem weißen Bären wieder gut.
Sein Fell ist trocken und weich. Er hat auch keinen
Schnupfen.
Mit der roten Hose sitzt er am Tisch und trinkt Kakao
aus dem bunten Becher.
»Jetzt bin ich dein Bärenbruder, Wuschelbär«, sagt er
und patscht in die Pfoten vor Freude.
Der Wuschelbär kriecht in eine Ecke. Dort hockt er
und rührt sich nicht.
Der weiße Bär setzt sich neben ihn.
»Ich habe noch nie einen Bruder gehabt«, sagt er.
»Und ich mag braune Bären gern. Magst du mich auch?«
Der Wuschelbär schweigt.
»Du hast mich aus dem Bach gerettet«, sagt der weiße
Bär. »Und wenn dir etwas Schlimmes passiert, will ich
dir auch helfen.«
Der Wuschelbär schweigt immer noch.
»Ich kann sehr komisch sein«, sagt der weiße Bär.
»Wenn du traurig bist, kann ich dich zum Lachen
bringen. Guck mal!«

Aber der Wuschelbär lacht nicht.

»Und wenn du keinen Kakao mehr hast, gebe ich dir die
Hälfte von meinem«, sagt der weiße Bär. »Weil du
mein Bruder bist.«

Er will noch ein Stück näher rücken, doch der
Wuschelbär schubst ihn fort.

»Hau ab!« ruft er so laut, daß Benjamin angelaufen
kommt. »Ich will keinen Bruder haben, und dich erst
recht nicht. Ich mag keine weißen Bären, und du
brauchst mir nicht zu helfen, und komisch finde ich dich
auch nicht, und deinen Kakao kannst du allein trinken.«

Da fängt Benjamin an zu schimpfen.

»Du bist gemein, Wuschelbär. Ich mag dich nicht mehr.
Komm, weißer Bär, wir spielen Ball auf der Wiese.«

Benjamin schlägt die Tür hinter sich zu, und der
Wuschelbär bleibt allein im Kinderzimmer. Er sitzt in
der Ecke und denkt nach. Er denkt daran, wie schön
es war mit Benjamin, jeden Tag von morgens bis
abends.
Er denkt an den Hubschrauber und an die Löwenjagd.
Er denkt an den Bach und an die Schiffchen und an die
vielen Geschichten. Und er denkt daran, daß
Benjamin ihn nun nicht mehr mag.
»Wenn er den weißen Bären lieber hat als mich, will
ich nicht bei ihm bleiben«, sagt der Wuschelbär.
Er steht auf, nimmt seinen bunten Becher und das
Sternenkissen und geht aus dem Haus. Er geht über
die Wiese, langsam, ganz langsam. Er möchte, daß
Benjamin ihn sieht. Doch Benjamin spielt Ball mit
dem kleinen weißen Bären.
Der Wuschelbär läuft zum Waldrand. Dort bleibt er
noch einmal stehen.
»Benjamin!« ruft er. »Benjamin!«
Benjamin hört ihn nicht, und der Wuschelbär dreht
sich um. Er dreht sich um und läuft in den Wald,
weiter, immer weiter, immer tiefer in den Wald hinein.

Es wird Mittag, es wird Nachmittag. Die Sonne
verschwindet, die Dämmerung kommt.
Der Wuschelbär ist noch nie allein im Wald gewesen.
Er sieht die Schatten zwischen den Bäumen, er hört,
wie es knackt und raschelt im Gebüsch.
Ob Benjamin kommt und mich holt? denkt der
Wuschelbär.
Aber nur ein paar Amseln hüpfen durch das
Unterholz. Dann steht der Mond am Himmel, und der
Wuschelbär weiß nicht, wo er schlafen soll. Das Moos
ist naß vom Abendtau, im Moos mag er nicht liegen.
Zwischen zwei Baumwurzeln findet er eine Höhle,
gerade groß genug für ihn. Er legt sich auf das Sternen-
kissen und macht die Augen zu.
Die Eule ruft über ihm im Geäst, schuhu, schuhu.
Es dauert lange, bis er einschläft, und er hat einen
ganz schlechten Traum in dieser Nacht.

Als der Wuschelbär wach wird, scheint wieder die
Sonne.
»Guten Morgen, Benjamin«, will er sagen. Aber
Benjamin liegt nicht neben ihm.
Der Wuschelbär wischt sich den Schlaf aus den Augen.
Er hat Hunger. Durst hat er auch.
An einem Busch neben der Höhle hängen Himbeeren,
damit füllt er seinen Becher. Die Himbeeren sind süß
und saftig.
»Viel besser als Kakao und Honigbrot«, sagt der
Wuschelbär laut.
Aber niemand hört zu, und die Himbeeren schmecken
ihm nicht mehr.
Der Wuschelbär nimmt sein Sternenkissen und geht
weiter in den Wald hinein. Er trifft Amseln und
Eichhörnchen, er trifft Kaninchen und Rehe.
»Guten Tag«, sagt er jedesmal.
Doch keiner kümmert sich um ihn. Schließlich trifft er
eine Fuchsmutter. Sie liegt vor ihrem Bau, läßt sich
den Pelz von der Sonne wärmen und schaut zu, wie
ihre Kinder miteinander spielen.
Die Fuchskinder sehen weich und wollig aus. Sie
kugeln durchs Gras, sie fiepen und winseln und
schlagen mit ihren kleinen Pfoten Löcher in die Luft.
Der Wuschelbär bleibt stehen und sagt: »Guten Tag.«
Die Fuchsmutter antwortet nicht. Nur die Fuchskinder
heben die Köpfe.

»Darf ich mitspielen?« fragt der Wuschelbär.
Die Fuchskinder ducken sich. Sie starren ihn an mit
ihren blanken Augen. Dann schiebt sich das erste
näher heran und beschnüffelt sein Fell. Auch das
zweite kommt und schnüffelt. Das dritte aber
schnüffelt nicht, sondern stößt mit der Schnauze
gegen seinen Bauch.
Der Wuschelbär fällt ins Gras, und die Fuchskinder
fangen an, mit ihm zu spielen. Sie kugeln ihn von
einer Seite auf die andere. Sie zausen und kratzen und
zwicken ihn. Sie zerren an seinem Sternenkissen und
reißen beinahe sein rechtes Ohr ab.

»Nein!« schreit der Wuschelbär. »Das will ich nicht.«
Er springt auf und rennt davon. Sein Fell ist zerzaust,
das Gesicht zerkratzt.
In der Höhle will er sich auf das Sternenkissen legen.
Doch das Sternenkissen haben die Füchse behalten.
Nur der Becher ist noch da.
»Benjamin!« jammert der Wuschelbär. »Benjamin,
komm her und hilf mir!«
Er sitzt da und wartet. Die Zeit vergeht.
Benjamin kommt nicht.

»Wer hat dir das Gesicht zerkratzt?« fragt ein Hase, der vorüberläuft.

»Die Fuchskinder mit ihren Krallen«, sagt der Wuschelbär. »Ich wollte mit ihnen spielen.«

»Wer spielt schon mit Füchsen«, sagt der Hase. Er mümmelt und nickt. Seine langen Ohren sehen lustig aus.

»Kann ich bei dir bleiben?« fragt der Wuschelbär.

»Meinetwegen, komm mit«, sagt der Hase und läuft weiter, und weil der Wuschelbär so allein ist, nimmt er seinen bunten Becher und läuft hinter dem Hasen her. Er läuft, so schnell er kann. Aber der Hase mit seinen vier Beinen läuft noch viel schneller.

Er saust zwischen den Bäumen hindurch. Er wird immer kleiner.

»Warte doch!« will der Wuschelbär rufen. Da stolpert er und fällt in eine schwarze Pfütze. Der bunte Becher rollt davon, er rollt in ein Kaninchenloch und ist verschwunden. Und als der Wuschelbär wieder auf den Beinen steht, kann er den Hasen nicht mehr sehen.

Schon wieder wird es Abend. Der Wuschelbär sitzt vor
der Höhle. Sein Fell ist naß. Er hat Hunger und
Heimweh. Er fürchtet sich vor der nächsten Nacht.
»Ich will nach Hause«, schluchzt er.
Der Wuschelbär wischt sich die Tränen aus dem
Gesicht und sieht sich um.
In welche Richtung soll er gehen? Nach rechts? Nach
links? Geradeaus? Überall sind Bäume, und er weiß
den Weg nicht mehr.
»Schuhu, schuhu«, ruft es von der Tanne herunter.
»Bist du nicht der Wuschelbär? Was machst du hier
bei uns?«
Der Wuschelbär hebt den Kopf. Oben im Geäst sitzt
die Eule. Ihre Augen leuchten in der Dunkelheit.
»Ich habe mich verlaufen«, sagt der Wuschelbär.
»Kennst du vielleicht den Weg zu Benjamins Haus?«
Die Eule schlägt mit den Flügeln. »Warum willst du
fort? Komm hoch zu mir, dann fliegen wir zusammen
durch die Nacht.«
»Bären können nicht fliegen«, sagt der Wuschelbär.
»Fliegen ist nicht schwer«, krächzt die Eule. »Ich
habe es ganz schnell gelernt. Du lernst es auch.«
Der Wuschelbär weiß nicht genau, ob er ihr glauben
soll.
Aber weil er nicht mehr so allein sein will in dem
dunklen Wald, klettert er auf die Tanne. Er klettert bis
in die Krone, wo die Eule wartet.
Über ihm steht der Mond am Himmel, tief unten sieht
er seine Höhle. Es ist sehr hoch, und er fürchtet sich.

»Jetzt geht es los«, krächzt die Eule. »Zuerst mußt du die Flügel heben, genau wie ich. Verstanden?«

»Ich habe keine Flügel«, sagt der Wuschelbär.

»Doch!« krächzt die Eule. »An jeder Seite einen.«

»Das sind Arme«, sagt der Wuschelbär.

»Rede nicht soviel«, krächzt die Eule. »Fang an!«

Der Wuschelbär hebt die Arme. »Ist das richtig?«

Die Eule nickt zufrieden. »Und nun mußt du sie bewegen, auf und nieder, so wie ich.«

Der Wuschelbär flattert mit den Armen, und die Eule nickt wieder.

»Du kannst es ja schon. Nun brauchst du nur noch hinter mir her zu fliegen.«

Sie schwingt sich von dem Ast herunter und fliegt davon. Und weil der Wuschelbär nicht allein oben auf der Tanne sitzen bleiben will, macht er es genauso. Er flattert mit den Armen und springt in die Luft.

Aber er fliegt nicht. Er fällt. Er fällt auf die Erde zurück. »Au!« jammert er. »Das tut weh!«

»Wo bleibst du, Wuschelbär?« krächzt die Eule.

»Bären können nicht fliegen«, sagt der Wuschelbär.

»Ich habe es gleich gewußt.«

Die Eule starrt ihn an mit ihren großen Augen.

»Schade. Ich hätte dich gern mitgenommen. Auf Wiedersehen, schuhu, schuhu.”

Sie schlägt mit den Flügeln und fliegt davon.

Der Wuschelbär liegt unter der Tanne und weiß nicht, wie es weitergehen soll. Das Bein tut ihm weh, der Rücken auch.

Jetzt muß ich immer hierbleiben, denkt er. Ich sehe Benjamin nie wieder und kann nie mehr Kakao trinken und nie mehr in meinem Bett schlafen. Was soll nur aus mir werden?

Er macht die Augen zu und wartet. Und auf einmal hört er seinen Namen.

»Wuschelbär! Wuschelbär, wo bist du?«

»Benjamin!« ruft der Wuschelbär. »Benjamin, hier!«
Aber es ist nicht Benjamin. Der kleine weiße Bär
kommt angelaufen. Der weiße Bär mit der roten Hose.
»Endlich hab ich dich gefunden, Wuschelbär«, sagt er.
»Wir haben dich den ganzen Tag gesucht. Benjamin ist
so traurig, weil du nicht mehr bei ihm bist.«
»Warum hast du ihn denn nicht mitgebracht?« fragt
der Wuschelbär.
»Benjamin muß doch abends ins Bett gehen«, sagt der
weiße Bär. »Weißt du das nicht?«
»Natürlich weiß ich das«, sagt der Wuschelbär. »Viel
besser als du. Weil ich schon viel länger bei ihm bin.«
»Er ist erst ganz spät eingeschlafen«, sagt der weiße
Bär. »So traurig war er.«
»Und du bist ganz allein in den Wald gegangen?« fragt
der Wuschelbär.
Der weiße Bär nickt.
Der Wuschelbär sitzt da und sieht ihn an. »Hast du
denn gar keine Angst gehabt?«
Der weiße Bär nickt wieder. »Große Angst. Gut, daß
wir jetzt zu zweit sind. Komm, wir gehen zu
Benjamin.«
»Ja, zu Benjamin«, sagt der Wuschelbär. Aber als er
aufstehen will, tut sein Rücken weh. Auch das Bein
tut weh. Allein kann er nicht gehen.
»Keine Angst, ich bin ja da«, sagt der weiße Bär und
hilft ihm hoch. Er wackelt mit den Ohren, damit der
Wuschelbär lachen kann. Er tröstet ihn und macht ihm
Mut auf dem langen Weg durch den Wald.
»Schuhu, schuhu«, krächzt die Eule. »Da ist ja
plötzlich noch ein Bär. Wer ist denn das?«
»Das ist mein Bruder«, sagt der Wuschelbär. »Wir
gehen zusammen nach Hause.«

Und dann liegt der Wuschelbär endlich wieder in seinem Bett, ganz dicht neben Benjamin.
Auf der anderen Seite liegt der weiße Bär. Alle drei schlafen tief und fest, und der Wuschelbär hat einen schönen Traum.

Irina Korschunow, 1925 in Stendal geboren. Autorin von Romanen, Erzählungen, Kinder- und Jugendbüchern, Drehbüchern zu Fernsehfilmen. Erhielt für ihr Gesamtwerk die Roswitha-von-Gandersheim-Medaille. Hat bisher über fünfzig Geschichten für Kinder und Jugendliche veröffentlicht, die mit zahlreichen Preisen ausgezeichnet wurden.

Reinhard Michl, 1948 in Niederbayern geboren. Schriftsetzerlehre, Fachhochschule für Grafik und Design, Kunstakademie. Illustriert seit 1975 Bücher und hat sich inzwischen sowohl national als auch international einen Namen gemacht. Bei Oetinger sind von ihm bisher drei Bilderbücher erschienen: *Katze, liebe Katze* nach einer Geschichte von Wilhelm Topsch, *Das Elefantenkind* nach einer Geschichte von Rudyard Kipling und *Wuschelbär* nach einer Geschichte von Irina Korschunow.

© Verlag Friedrich Oetinger, Hamburg 1991
Alle Rechte vorbehalten
© Deutscher Taschenbuchverlag GmbH & Co. KG, München 1990
Satz: Utesch Satztechnik GmbH, Hamburg
Lithos: Gries GmbH, Ahrensburg
Gesamtherstellung: PROOST N. V., Turnhout
Printed in Belgium 1991

ISBN 3-7891-6752-5